EL AVE MARÍA

Ilustraciones por Miki

XXIV Edición

DIOS TE SALVE, MARÍA, LLENA ERES DE GRACIA

Dios mandó a un Ángel para que llevara un mensaje a una pura y santa Virgen llamada María. El Ángel la saludó: "Ave, llena de gracia", y le dijo que Dios quería que Ella fuera la Madre de su Hijo.

La Santísima Virgen nunca tuvo una mancha en su alma; siempre estuvo limpia y brillante. Por eso Dios la amó tanto que le pidió fuera la Madre de Jesús.

María dijo "sí" al Ángel y aunque Ella sabía que tendría que sufrir mucho, prometió hacer lo que Dios deseaba.

Cuando decimos el "Ave María" decimos las mismas palabras que dijo el Ángel. A María le gusta que recemos el Ave María porque le recuerda el día en que se le hizo la Madre de Dios.

EL SEÑOR ES CONTIGO

Cuando el Ángel fue a la pequeña casa de María en Nazareth, una luz brillante como el sol iluminaba la casa.

Si pudiéramos ver el alma de la Virgen Santísima sería mucho más brillante que esta luz.

Su alma era tan bella que las tres Divinas Personas de la Santísima Trinidad querían vivir allí. Dios Padre la amaba porque era su Hija. Dios Hijo la amaba porque era su Madre. El Espíritu Santo la amaba porque era su Esposa.

Cuando nuestras almas son puras, santas y están libres de pecado las Tres Divinas Personas de la Santísima Trinidad viven en ellas también.

Cuando fuiste bautizado fuiste lavado del pecado y Dios entró en tu alma. Él estará en tu alma hasta que lo arrojes por el pecado mortal.

El alma pura del niño es como un rinconcito del Cielo. Nunca debemos hacer nada malo que saque a Dios de allí.

BENDITA TÚ ENTRE LAS MUJERES

Esto es lo mismo que decir: "Eres agradable a los ojos de Dios. Dios te ama y te bendice más que a todas las mujeres".

Dios amó a la Virgen Santísima muchísimo y la hizo más hermosa que los Ángeles del Cielo. Él la creó libre de todo pecado. La escogió para ser la Madre de su Hijo. Por eso el Ángel la llamó "Bendita".

Debemos amar mucho a Nuestra Señora y rezarle siempre. Ella nos conseguirá lo que queramos de Jesús. Debemos siempre tratar de ser como Nuestra Señora y conservar nuestras almas puras y santas.

Pidamos a nuestro Ángel de la Guarda la gracia de conocer a Nuestra Señora siempre más y un día verla y vivir con Ella para siempre en el Cielo.

Y BENDITO EL FRUTO DE TU VIENTRE, JESÚS

La Santísima Virgen tenía una prima que se llamaba Isabel. Un día fue a visitarla. Apenas la vio Isabel le dijo:

"Bendito el fruto de tu vientre, Jesús", que era como decir: "Bendito es tu Hijo".

Estas palabras están también en el Ave María. Son preciosas palabras. El Hijo de María es Bendito porque Él es Dios.

Luego vino la primera Navidad. Jesús nació el día de Navidad y así que el día de Navidad es el cumpleaños de Nuestro Señor.

Jesús nació en un pobre establo en Belén. Los Ángeles cantaron en el Cielo. Los Ángeles les dijeron a los pastores que fueran y vieran al Niño Jesús. Ellos fueron y lo adoraron. Unos Reyes poderosos también fueron a ver a Jesús. Una estrella los guió en el camino.

La Santísima Virgen nos pide que todos vayamos y adoremos al Pequeño Infante y nos arrodillemos ante su cuna.

SANTA MARÍA, MADRE DE DIOS

La Santísima Virgen es la Madre de Dios porque Jesús es Dios. Todas las madres aman a sus hijos cariñosamente. María amó a Jesús y lo cuidó mientras vivía aquí en la tierra.

Estuvo de pie junto a la Cruz el Viernes Santo y lo vio morir. Jesús antes de morir, pidió a su Madre que fuera Madre también de nosotros.

Es nuestra Madre y por eso nos ama.

Si amamos a Nuestra Señora no haremos nada que la entristezca. Trataremos de agradarle todos los días siendo buenos y cariñosos como fue el Pequeño Jesús durante su vida en la tierra.

RUEGA POR NOSOTROS PECADORES

¿A quién va un niño pequeño cuando quiere algo o desea que se le perdone el mal que hizo? A su madre, claro. Él sabe lo buena que es y que siempre le ayudará.

María Nuestra Madre en el Cielo nos ama cariñosamente. Ella sabe que somos débiles y siempre está lista para ayudarnos. Debemos siempre rezarle, en tiempo de peligro y cuando el diablo nos tienta para que cometamos un pecado.

Pecar es lo peor que le puede ocurrir a cualquiera. Si queremos conservarnos buenos debemos pedirle a María Santísima que nos ayude.

Y si cometemos un pecado no debemos desesperarnos sino ir directamente a Nuestra Señora y decirle que estamos arrepentidos. Ella nos ayudará a librarnos de nuestros pecados y nos alcanzará el perdón de Dios.

AHORA Y EN LA HORA DE NUESTRA MUERTE. AMÉN

Cuando uno ama a alguien piensa siempre en él. Nuestra Señora nos ama y siempre piensa en nosotros hasta cuando estamos dormidos.

Demostremos con nuestras obras que sí amamos a Nuestra Señora. Rézale todos los días cuando despiertes en la mañana, durante el día, y antes de dormirte en la noche.

Pídele que te cubra con su gran manto azul. Si amas a Nuestra Señora el diablo se alejará de ti porque le tiene miedo.

Cuando mueras Nuestra Señora misma vendrá por ti y te llevará a Jesús.

Todas las "Aves Marías" que digamos durante nuestra vida formarán una preciosa corona de rosas. Tú mismo le darás esta corona a Nuestra Señora. Tú vivirás para siempre con Ella y con todos los Ángeles y Santos.

"HAGAN A TODOS LA CARIDAD DE LA VERDAD"
Paulinos, Provincia México

24ª edición, 2013

Impreso y hecho en México
Printed and made in Mexico

ISBN: 978-968-7581-78-1

Se terminó de imprimir en los talleres de EDITORIAL ALBA, S.A. DE C.V.
Calle Alba 1914, San Pedrito, Tlaquepaque, Jal.
el 15 de Octubre de 2014. Se imprimieron 3,000 ejemplares, más sobrantes para reposición.